J'appre… à lire avec Sami et

Sami s'est perdu

Isabelle Albertin

hachette ÉDUCATION

Avec Sami et Julie, lire est un plaisir !

Avant de lire l'histoire

- Parlez ensemble du titre et de l'illustration en couverture, afin de préparer la compréhension globale de l'histoire.
- Vous pouvez, dans un premier temps, lire l'histoire en entier à votre enfant, pour qu'ensuite il la lise seul.
- Si besoin, proposez les activités de préparation à la lecture aux pages 4 et 5. Elles permettront de déchiffrer les mots les plus difficiles.

Après avoir lu l'histoire

- Parlez ensemble de l'histoire en posant les questions de la page 30 : « As-tu bien compris l'histoire ? »
- Vous pouvez aussi parler ensemble de ses réactions, de son avis, en vous appuyant sur les questions de la page 31 : « Et toi, qu'en penses-tu ? »

Bonne lecture !

Couverture : Mélissa Chalot
Maquette intérieure : Mélissa Chalot
Mise en pages : Typo-Virgule
Illustrations : Thérèse Bonté
Édition : Laurence Lesbre
Relecture ortho-typo : Jean-Pierre Leblan

ISBN : 978-2-01-625528-5

Achevé d'imprimer en Espagne par Unigraf
Dépôt légal : mars 2018 - Collection n° 12 - Édition: 02 - 86/2342/8

Les personnages de l'histoire

Pour préparer la lecture

1 Montre le dessin quand tu entends le son (o) comme dans numér<u>o</u>.

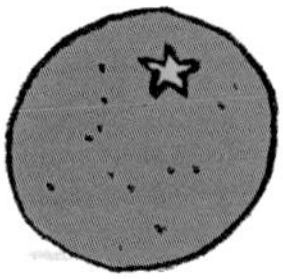

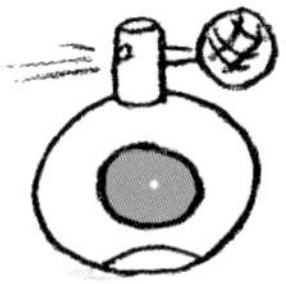

2 Montre le dessin quand tu entends le son (m) comme dans Sa<u>m</u>i.

3 Lis ces syllabes.

sa mi ma mi ba la se

de vi tri ne vu mo to

4 Lis ces mots-outils.

et les vu une de

est à là ravi les

5 Lis les mots de l'histoire.

balade

vitrine

motard

numéro

larme

ravi

Sami et Mamie

se baladent.

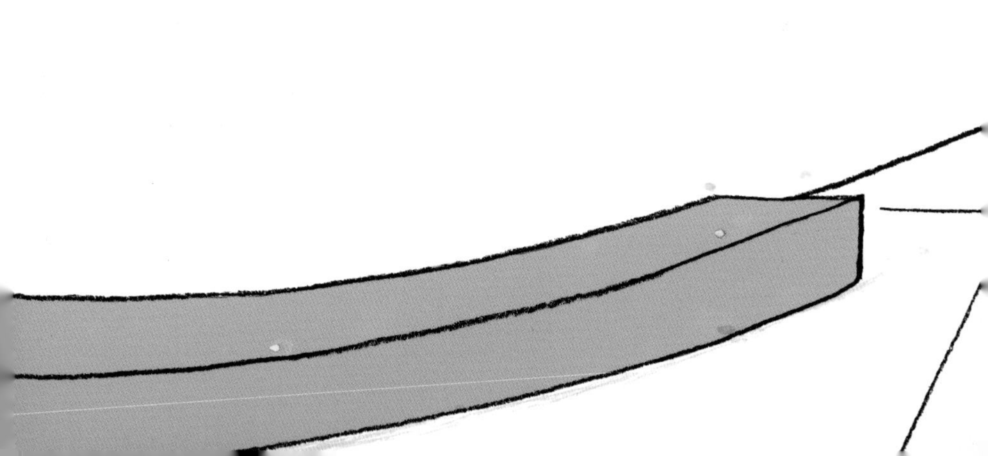

Sami s'arrête.

– Oh, les belles vitrines !

dit Sami.

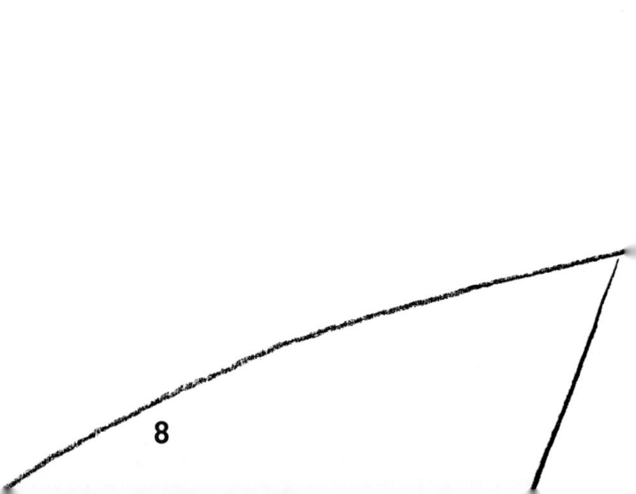

la récré

Sami a vu

une petite moto.

la récré

Sami rêve

de devenir motard.

Mamie a disparu !

Mamie ?
Mamie !

Sami est affolé.

Il verse une larme.

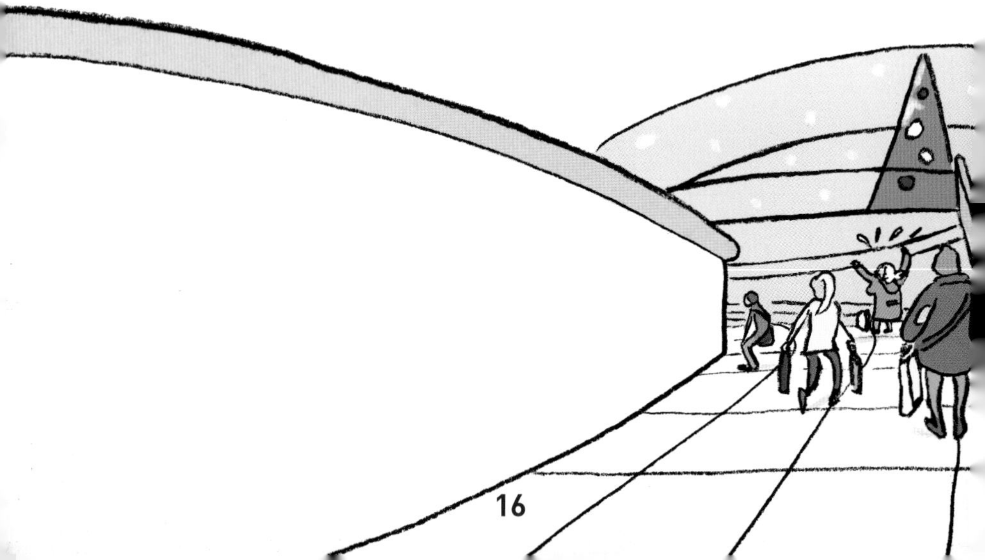

récré

Une dame et un bébé arrivent.

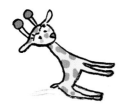

As-tu un problème ?

Sami est rassuré.

Il parle à la dame.

Mamie a disparu !
Je suis perdu !

As-tu le numéro de ta Mamie ?

06 05 04 … …

La dame appelle Mamie.

Allô madame ?
Sami est là !
BiiiP
BiiiP

Mamie est revenue !

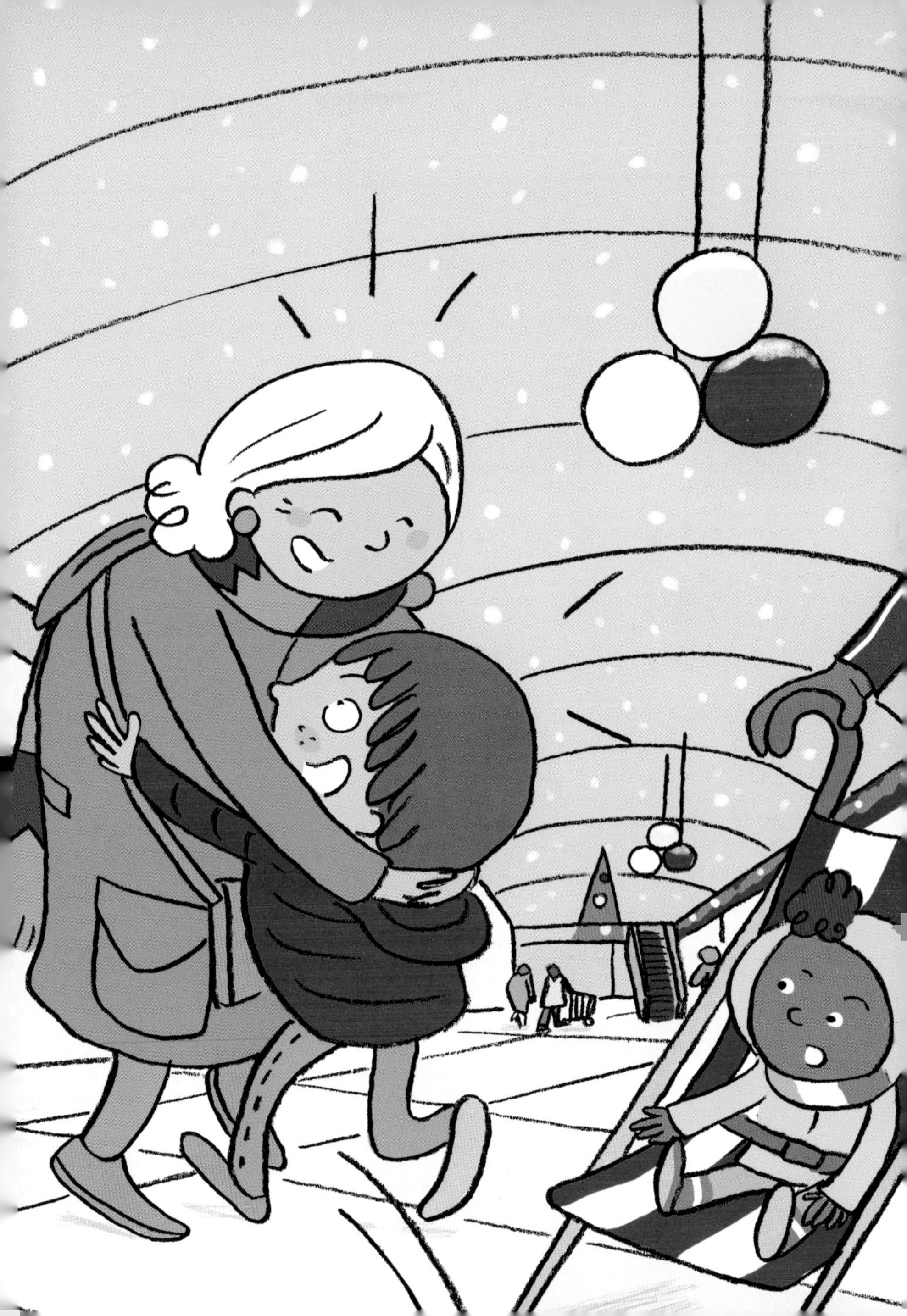

Sami est ravi !

Il rit !

As-tu bien compris l'histoire ?

1 Avec qui Sami se promène-t-il ?

2 Pourquoi Sami s'arrête-t-il ?

3 Qu'est-ce que Sami rêve de devenir ?

4 Pourquoi Sami est-il affolé ?

5 Qui aide Sami à retrouver Mamie ?

Et toi, qu'en penses-tu ?

Est-ce que tu aimes regarder les vitrines de jouets comme Sami ?

T'es-tu déjà perdu comme Sami ?

Connais-tu le numéro de téléphone de tes parents ?

Qu'aurais-tu fait à la place de Sami ?

Dans la même collection :

Niveau 1
Début de CP

Niveau 2
Milieu de CP

Niveau 3
Fin de CP

Niveau CE1

Et dans la collection des **Petites Enquêtes** *trop chouettes* :

CP et CE1 6-8 ans

hachette ÉDUCATION